La quête
the seeking
is better than the sought

La lune

The moon rises on our fears

le **Soleil**
the **sun** sets on our hopes

La Vie **Life** is subject to change without notice

Everything's
tout est possible
if you just lose your mind to it

Le confort

Take comfort in the

Chaos

Wander wonderfully
Errer allègrement

Avec un peu de chance...

you won't find
what you're looking for

Gardez vos secrets
pour les autres
Never share secrets
with yourself

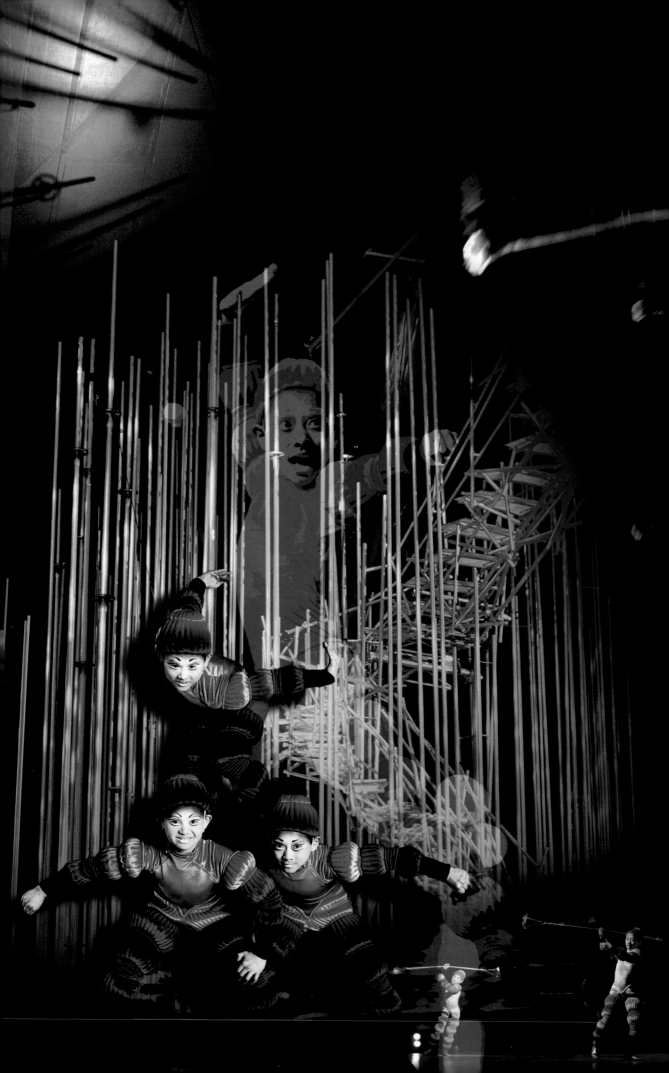

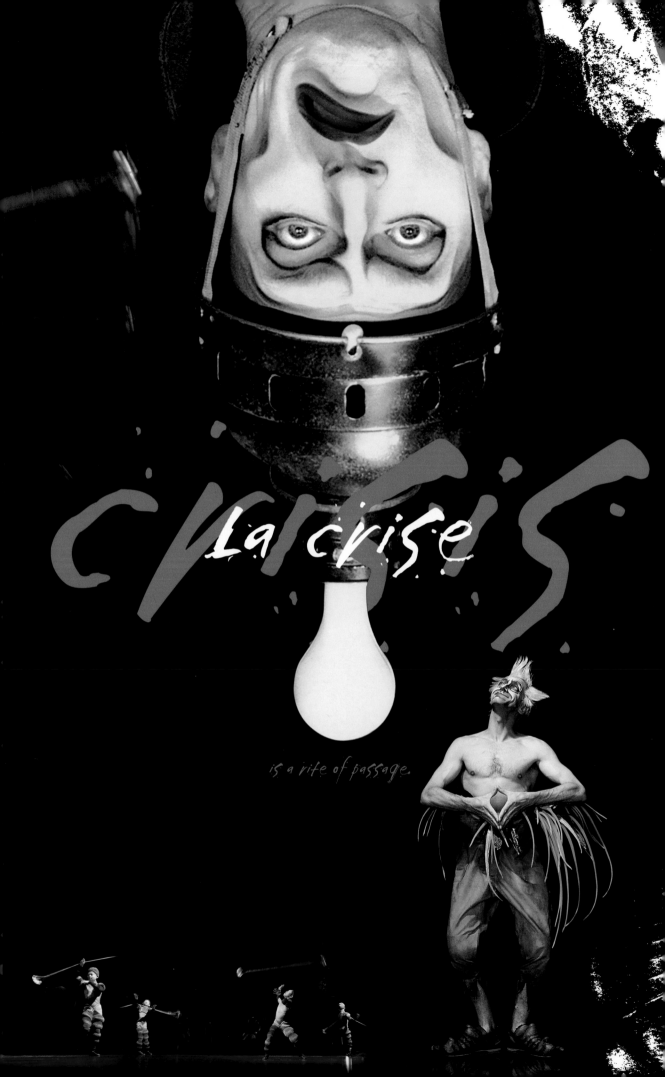

La crise
is a rite of passage.

Réalité

Do not accept this reality

l'espoir
Hope
springs eternal

Voeux *exaucés*
May all your wishes come true

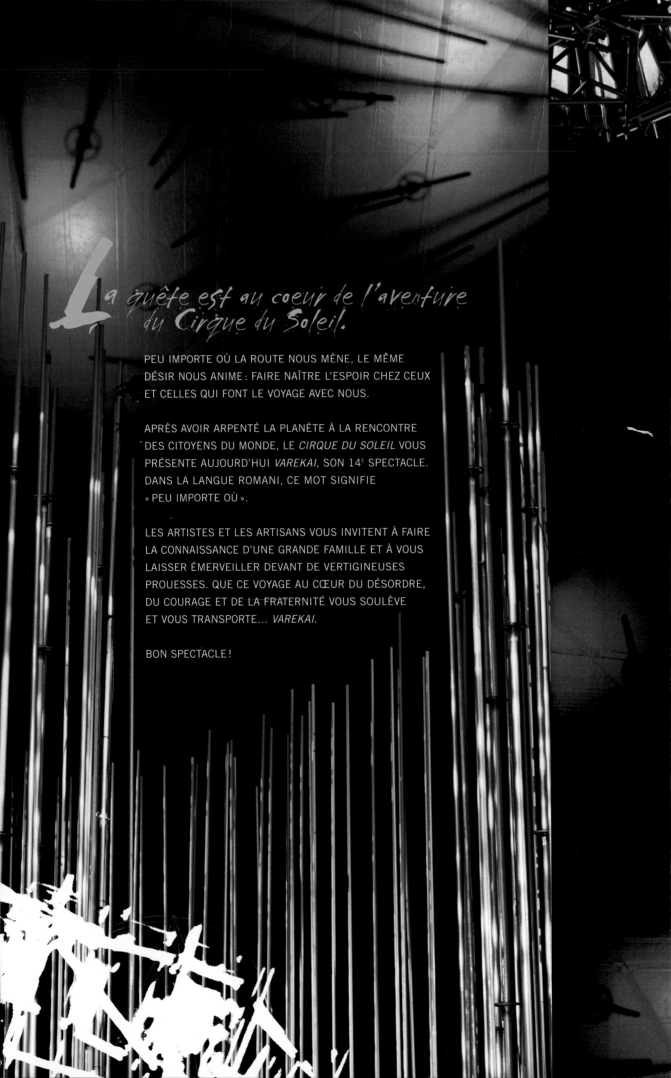

La quête est au cœur de l'aventure du Cirque du Soleil.

PEU IMPORTE OÙ LA ROUTE NOUS MÈNE, LE MÊME DÉSIR NOUS ANIME : FAIRE NAÎTRE L'ESPOIR CHEZ CEUX ET CELLES QUI FONT LE VOYAGE AVEC NOUS.

APRÈS AVOIR ARPENTÉ LA PLANÈTE À LA RENCONTRE DES CITOYENS DU MONDE, LE *CIRQUE DU SOLEIL* VOUS PRÉSENTE AUJOURD'HUI *VAREKAI,* SON 14ᴱ SPECTACLE. DANS LA LANGUE ROMANI, CE MOT SIGNIFIE « PEU IMPORTE OÙ ».

LES ARTISTES ET LES ARTISANS VOUS INVITENT À FAIRE LA CONNAISSANCE D'UNE GRANDE FAMILLE ET À VOUS LAISSER ÉMERVEILLER DEVANT DE VERTIGINEUSES PROUESSES. QUE CE VOYAGE AU CŒUR DU DÉSORDRE, DU COURAGE ET DE LA FRATERNITÉ VOUS SOULÈVE ET VOUS TRANSPORTE… *VAREKAI.*

BON SPECTACLE !

GUY LALIBERTÉ
FONDATEUR ET CHEF DE LA DIRECTION
FOUNDER AND CHIEF EXECUTIVE OFFICER

A quest lies at the heart of the Cirque du Soleil adventure.

WHEREVER THE ROAD MAY TAKE US, THE SAME DESIRE
DRIVES US ON: TO BRING HOPE TO EVERYONE WHO
JOURNEYS WITH US.

AFTER TRAVELLING TO THE FOUR CORNERS OF THE
GLOBE AND MEETING THE CITIZENS OF THE WORLD,
CIRQUE DU SOLEIL BRINGS YOU *VAREKAI,* OUR
14TH SHOW. IN THE ROMANY LANGUAGE, "VAREKAI"
MEANS "WHEREVER."

CIRQUE DU SOLEIL INVITES YOU TO MAKE THE
ACQUAINTANCE OF OUR EXTENDED FAMILY AND TO
LET YOURSELF BE AMAZED BY THEIR BREATHTAKING
FEATS. WE HOPE THAT THIS VOYAGE INTO ADVERSITY,
COURAGE AND BROTHERHOOD WILL INSPIRE YOU
AND TAKE YOU TO … *VAREKAI.*

ENJOY THE SHOW!

GUY LALIBERTÉ

Puisque les temps sont fous

ET QUE NOUS AVONS LE DEVOIR
DE NE PAS ABANDONNER LE MONDE
AUX MAINS DES NULLITÉS
JE FAIS LE VŒU QUE CE SPECTACLE SOIT POUR VOUS
COMME IL A ÉTÉ POUR MOI
UNE CÉLÉBRATION
DE LA RENCONTRE DES FRATERNITÉS
ET DE LA JOIE DES DÉPASSEMENTS

LAISSEZ-VOUS TRANSPORTER PAR LE COURAGE
ET LA BEAUTÉ
DE CES ACROBATES, DANSEURS ET COMÉDIENS
QUI CHAQUE JOUR
PEU IMPORTE OÙ LE VENT LES EMPORTE
JOUENT LEUR VIE À TENTER DE S'ÉLEVER VERS LE SUBLIME
À DÉFIER LES LOIS DE LA GRAVITÉ
ET À DANSER SUR LES FEUX DES VOLCANS

POUR DIRE AU MONDE
QUE QUELQUE CHOSE D'AUTRE EST POSSIBLE

DOMINIC CHAMPAGNE
AUTEUR ET METTEUR EN SCÈNE
WRITER AND DIRECTOR

Since these are crazy times

AND IT IS OUR DUTY
NOT TO SURRENDER THE WORLD
INTO THE HANDS OF FOOLS,
MAY THIS SHOW BE FOR YOU
AS IT HAS BEEN FOR ME
A CELEBRATION
OF THE COMING TOGETHER OF BROTHERS AND SISTERS
AND OF THE JOY OF CHALLENGING LIMITS

LET YOURSELF BE SWEPT AWAY BY THE COURAGE
AND BEAUTY
OF THESE ACROBATS, DANCERS AND ACTORS
WHO, EVERY DAY,
WHEREVER THE WIND MAY TAKE THEM,
RISK THEIR LIVES TRYING TO ATTAIN THE SUBLIME
TO TOUCH THE SKY
TO DEFY THE LAW OF GRAVITY
AND TO DANCE IN THE FIRES OF VOLCANOES

SO THAT THEY CAN TELL THE WORLD
THAT SOMETHING ELSE IS POSSIBLE

DOMINIC CHAMPAGNE

ANDREW WATSON
DIRECTEUR DE LA CRÉATION
DIRECTOR OF CREATION

CONCEPTEURS
CREATORS

STÉPHANE ROY
SCÉNOGRAPHE
SET DESIGNER

EIKO ISHIOKA
CONCEPTRICE DES COSTUMES
COSTUME DESIGNER

VIOLAINE CORRADI
COMPOSITEURE ET DIRECTRICE MUSICALE
COMPOSER AND MUSICAL DIRECTOR

MICHAEL MONTANARO
CHORÉGRAPHE
CHOREOGRAPHER

BILL SHANNON
CHORÉGRAPHE
CHOREOGRAPHER

JAQUE PAQUIN
CONCEPTEUR DU GRÉEMENT
RIGGING DESIGNER

NOL VAN GENUCHTEN
CONCEPTEUR DES ÉCLAIRAGES
LIGHTING DESIGNER

FRANÇOIS BERGERON
CONCEPTEUR SONORE
SOUND DESIGNER

FRANCIS LAPORTE
CONCEPTEUR DES PROJECTIONS
PROJECTION DESIGNER

CONCEPTEURS INVITÉS ET COLLABORATEURS
GUEST DESIGNERS AND CONTRIBUTORS

NICOLETTE NAUM
DIRECTRICE ARTISTIQUE
ARTISTIC DIRECTOR

CAHAL McCRYSTAL
CONCEPTEUR DES NUMÉROS
CLOWNESQUES EN DUO
CLOWN DUO ACT DESIGNER

ANDRÉ SIMARD
CONCEPTEUR DES NUMÉROS AÉRIENS
AERIAL ACT DESIGNER

NATHALIE GAGNÉ
CONCEPTRICE DES MAQUILLAGES
MAKE-UP DESIGNER

LES ARTISTES / THE ARTISTS

OCTAVIO ALEGRIA
MEXIQUE / MEXICO
JONGLERIE / JUGGLING

KEVIN ATHERTON
ROYAUME-UNI / UNITED KINGDOM
COURROIES AÉRIENNES / AERIAL STRAPS

RONI BELLO – STEVEN BROTHERS
ITALIE / ITALY
JEUX ICARIENS / ICARIAN GAMES

HELEN BALL
ROYAUME-UNI / UNITED KINGDOM
PATINAGE CORPOREL, TRAPÈZE TRIPLE /
BODY SKATING, TRIPLE TRAPEZE

PAUL J. BANNERMAN
CANADA
BATTERIE / DRUMS

SERGIY BOBROVNYK
UKRAINE
BALANÇOIRES RUSSES / RUSSIAN SWINGS

STIV BELLO – STEVEN BROTHERS
ITALIE / ITALY
JEUX ICARIENS / ICARIAN GAMES

STEVEN BISHOP
AUSTRALIE / AUSTRALIA
CLOWN

MICHEL-ANDRÉ CARDIN
CANADA
PERSONNAGE / CHARACTER

ANTON CHELNOKOV
RUSSIE / RUSSIA
VOL D'ICARE / FLIGHT OF ICARUS

CHEN HAIYAN
CHINE / CHINA
MÉTÉORES / WATER METEORS

SERGEY CHERKASOV
RUSSIE / RUSSIA
BALANÇOIRES RUSSES / RUSSIAN SWINGS

RICHARD DROUIN
CANADA
BASSE / BASS

ELENA KIRIANOVA
RUSSIE / RUSSIA
JEUX ICARIENS, PATINAGE CORPOREL /
BODY SKATING, ICARIAN GAMES

MARIYA CORLETT
UKRAINE
JEUX ICARIENS, PATINAGE CORPOREL /
BODY SKATING, ICARIAN GAMES

OLENA DURNYEVA
UKRAINE
JEUX ICARIENS, PATINAGE CORPOREL /
BODY SKATING, ICARIAN GAMES

WAYNE HANKIN
ETATS-UNIS / UNITED STATES
INSTRUMENTS A VENT / WIND INSTRUMENTS

TEIMUR KORIDZE
GEORGIE / GEORGIA
DANSE GEORGIENNE / GEORGIAN DANCE

SERGIY MARCHENKO
UKRAINE
PERSONNAGE / CHARACTER

ISABELLE CORRADI
CANADA
CHANTEUSE / SINGER

JAYKO ELOÏ
CANADA
SOLO SUR BÉQUILLES / SOLO ON CRUTCHES

JOANNA HOLDEN
ROYAUME-UNI / UNITED KINGDOM
CLOWN

VUK KRAKOVIC
YOUGOSLAVIE / YUGOSLAVIA
VIOLON / VIOLIN

VALENTIN MENJEGA
RUSSIE / RUSSIA
BALANÇOIRES RUSSES / RUSSIAN SWINGS

BADRI ESATIA
GEORGIE / GEORGIA
DANSE GEORGIENNE / GEORGIAN DANCE

CRAIG JENNINGS
ETATS-UNIS / UNITED STATES
CHANTEUR / SINGER

KUAI WENXIANG
CHINE / CHINA
METEORES / WATER METEORS

TARAS MITIN
UKRAINE
BALANÇOIRES RUSSES / RUSSIAN SWINGS

LEYSAN GAYAZOVA
RUSSIE / RUSSIA
CERCEAU AÉRIEN / AERIAL HOOP

OLENA KHOMENKO
UKRAINE
JEUX ICARIENS, PATINAGE CORPOREL /
BODY SKATING, ICARIAN GAMES

MAXIM LEVANTSEVICH
RUSSIE / RUSSIA
BALANÇOIRES RUSSES / RUSSIAN SWINGS

SOPHIE OLDFIELD
ROYAUME-UNI / UNITED KINGDOM
PATINAGE CORPOREL, TRAPÈZE TRIPLE /
BODY SKATING, TRIPLE TRAPEZE

ROMECH MOURTAZOV
RUSSIE / RUSSIA
BALANÇOIRES RUSSES / RUSSIAN SWINGS

POLINA MOURTAZOVA
RUSSIE / RUSSIA
PATINAGE CORPOREL, TRAPÈZE TRIPLE /
BODY SKATING, TRIPLE TRAPEZE

ALEXANDER PARKOV
RUSSIE / RUSSIA
BALANÇOIRES RUSSES / RUSSIAN SWINGS

CARLY SHERIDAN
CANADA
PATINAGE CORPOREL, TRAPÈZE TRIPLE /
BODY SKATING, TRIPLE TRAPEZE

IRINA NAUMENKO
RUSSIE / RUSSIA
ÉQUILIBRE SUR CANNES /
HANDBALANCING ON CANES

DENISE RACHEL
CANADA
CLAVIERS / KEYBOARDS

JAVIER SANTOS — RAMPIN BROS.
ESPAGNE / SPAIN
JEUX ICARIENS / ICARIAN GAMES

SERGUEI VOLODINE
RUSSIE / RUSSIA
BALANÇOIRES RUSSES / RUSSIAN SWINGS

SERGUEI RISSOUEV
RUSSIE / RUSSIA
BALANÇOIRES RUSSES / RUSSIAN SWINGS

PEDRO SANTOS — RAMPIN BROS.
ESPAGNE / SPAIN
JEUX ICARIENS / ICARIAN GAMES

VALERII SIMONENKO
RUSSIE / RUSSIA
BALANÇOIRES RUSSES / RUSSIAN SWINGS

ANDREI YAKOVLEV
RUSSIE / RUSSIA
JEUX ICARIENS, PATINAGE CORPOREL / BODY SKATING,
ICARIAN GAMES

RAFIK SAMMAN
CANADA
PERCUSSIONS

RAPHAËL SANCHEZ
FRANCE
CHEF D'ORCHESTRE / BAND LEADER

RAMON SANTOS — RAMPIN BROS.
ESPAGNE / SPAIN
JEUX ICARIENS / ICARIAN GAMES

EVGUENI TARAKANOV
RUSSIE / RUSSIA
BALANÇOIRES RUSSES / RUSSIAN SWINGS

ZHANG YUDONG
CHINE / CHINA
METEORES / WATER METEORS

ALEXANDRE SAVINE
RUSSIE / RUSSIA
BALANÇOIRES RUSSES / RUSSIAN SWINGS

ZOËV TEDSTILL
ROYAUME-UNI / UNITED KINGDOM
PATINAGE CORPOREL, TRAPÈZE TRIPLE /
BODY SKATING, TRIPLE TRAPEZE

KHVICHA TETVADZE
GÉORGIE / GEORGIA
DANSE GEORGIENNE / GEORGIAN DANCE

IGOR ZOLOTOUKHINE
RUSSIE / RUSSIA
BALANÇOIRES RUSSES / RUSSIAN SWINGS

CONCEPTEURS / CREATORS Guide GUY LALIBERTÉ **Auteur et metteur en scène / Writer and Director** DOMINIC CHAMPAGNE **Directeur de la création / Director of Creation** ANDREW WATSON **Scénographe / Set Designer** STÉPHANE ROY **Conceptrice des costumes / Costume Designer** EIKO ISHIOKA **Compositeure et directrice musicale / Composer and Musical Director** VIOLAINE CORRADI **Chorégraphe / Choreographer — Balançoires russes, Danse géorgienne, Équilibre sur cannes, Jeux icariens, Patinage corporel, Trapèze triple / Body Skating, Georgian Dance, Handbalancing on Canes, Icarian Games, Russian Swings, Triple Trapeze** MICHAEL MONTANARO **Chorégraphe / Choreographer — Courroies aériennes, Solo sur béquilles / Aerial Straps, Solo on Crutches** BILL SHANNON **Concepteur du gréement / Rigging Designer** JAQUE PAQUIN **Concepteur des éclairages / Lighting Designer** NOL VAN GENUCHTEN **Concepteur adjoint des éclairages / Lighting Co-Designer** LUC LAFORTUNE **Concepteur sonore / Sound Designer** FRANÇOIS BERGERON **Concepteur des projections / Projection Designer** FRANCIS LAPORTE **CONCEPTEURS INVITÉS ET COLLABORATEURS / GUEST CREATORS AND CONTRIBUTORS** **Directrice artistique / Artistic Director** NICOLETTE NAUM **Concepteur des numéros clownesques en duo / Clown Duo Act Designer** CAHAL McCRYSTAL **Concepteur du personnage et des numéros de La Vigie / Designer of Skywatcher character and acts** JOHN GILKEY **Concepteur des numéros aériens / Aerial Act Designer** ANDRÉ SIMARD **Conceptrice des maquillages / Make-up Designer** NATHALIE GAGNÉ **Directeur des studios d'entraînement** BERNARD PETIOT **Directrice du casting / Casting Director** LINE GIASSON **Conceptrice du personnage clownesque « Mooky » / "Mooky" Character Designer** MOOKY CORNISH **Concepteur du numéro clownesque « Ne me quitte pas » / Designer of "Ne me quitte pas" Act** CLAUDIO CARNEIRO **ASSISTANTS DES CONCEPTEURS / ASSISTANTS TO THE CREATORS** **Assistants du metteur en scène / Assistants to the Director** JOANNE VÉZINA, PIERRE-PHILIPPE GUAY **Assistante du scénographe / Assistant to the Set Designer** CAROLE BÉGIN **Assistants de la conceptrice des costumes / Assistants to the Costume Designer** SHELLEY DUPASQUIER, DENISE TÉTREAULT **Adjoint à la directrice musicale / Co-Musical Director** CLAUDE CHAPUT **Assistante de Michael Montanaro / Assistant to Michael Montanaro** HÉLÈNE LEMAY **Assistant du concepteur des éclairages / Assistant to the Lighting Designer** ALEXANDRE TOUGAS **Assistante du concepteur des numéros clownesques en duo / Assistant to the Clown Duo Act Designer** LUCY BRADRIDGE **Assistantes de la conceptrice des maquillages / Assistants to the Make-up Designer** ÉLIZABETH LEHOUX, MARIE-CLAUDE L'HEUREUX, JESSICA MANZOT, MARIE REGIMBALD **ENTRAÎNEMENT ET SOUTIEN À LA CRÉATIVITÉ / COACHING AND CREATIVE SUPPORT** **Coordonnateur des programmes de formation / Training Program Coordinator** PATRICE AUBERTIN **Entraîneur-chef / Head Coach** BORIS VERKHOVSKY **Conseiller artistique / Artistic Training Advisor** PIERRE-PHILIPPE GUAY **Chorégraphe — Danse géorgienne / Georgian Dance Choreographer** TEIMUR KORIDZE **Entraîneurs / Coaches** ISABELLE CORRADI, ESTELLE ESSE, SYLVAIN GAGNON, JOANNE GÉLINAS, HUY PHONG DOAN, JOHANNE LATREILLE, ALEXANDRE PIKHIENKO, ADRIAN PORTER **ÉQUIPE DE PRODUCTION / PRODUCTION TEAM** **Directeur de production / Production Manager** STÉPHANE MONGEAU **Assistante de production / Production Assistant** LUCIE JANVIER **Directeur technique / Technical Director** MARTIN LÉVESQUE **Assistant du directeur technique et chargé de projet — équipement d'éclairage / Assistant Technical Director and Project Supervisor, Lighting** ÉRIC BOUCHARD **Comptable de production / Production Accountant** ALAIN BLOT **Secrétaire de production / Production Secretary** LINDA NOONAN ROMPRÉ **Documentaliste / Researcher** CARL DE MONTIGNY **Superviseur des chargés de projet — scénographie / Head Project Supervisor, Set** GUY PLOURDE **Chargés de projet — scénographie / Project Supervisors, Set** ROBERT BEAUREGARD, JEAN-FRANÇOIS BERNARD, PIERRE LACHANCE **Chargé de projet — matériel acrobatique / Project Supervisor, Acrobatic Equipment** FRANÇOIS LAURION **Chargé de projet — équipement sonore et musical / Project Supervisor, Music and Audio Equipment** DANIEL PETIT **Chargés de projet — automatisation / Project Supervisors, Automation** PIERRE MASSE, ANTONIN SAINT-GEORGES **Chargé de projet — accessoires / Project Supervisor, Props** GAETAN MACRA **Coordonnateur des projections / Projection Coordinator** PHILIPPE GENDREAU **Monteur vidéo / Video Editor** PATRICK PARENTEAU **Dessinateurs / Draftspersons** NICOLAS BOURASSA, SYLVAIN FAUTEUX, NATHALIE OUIMET **Dessinateur d'équipement acrobatique / Draftsperson, Acrobatic Equipment** PHILIPPE RIVRAIS **Dessinateurs temporaires / Temporary Draftspersons** STÉPHANE BEAULAC, SYLVAIN BERNARD, CHERYL CATTERALL, SIMON LEMIEUX **Régisseur de production / Stage Manager** GUY DEVOST **Coursière / Runner** VICKY VÉZINA **Acheteuse / Buyer** JOHANNE TREMBLAY **Consultants en projection vidéo / Video Projection Consultants** YVES BÉRIAULT, ÉTIENNE DESAUTELS **ATELIER DE COSTUMES / COSTUME WORKSHOP** Merci à nos coupeurs, costumiers, chapeliers, perruquiers, dentelliers, monteurs, chausseurs, patronnistes, acheteurs, magasiniers, ainsi qu'à tout le personnel de l'Atelier de design textile et le personnel administratif et technique / Thanks to our Patternmakers, Costume-Makers, Milliners, Wigmakers, Lace Makers, Shoemakers, Shoe Lasters, Shoe Patternmakers, Buyers and Storekeepers, all administrative and technical personnel and the staff of the Textile Design Workshop **ATELIER DE PROTOTYPAGE SCÉNIQUE / SET PROTOTYPING WORKSHOP** Mille mercis à nos soudeurs, machinistes, menuisiers et chargés de projet, ainsi qu'à tout le personnel administratif / Many thanks to our Welders, Machinists, Carpenters, Project Managers and all administrative personnel • Plancher de scène et arbres scénographiques réalisés par / Stage floor and trees constructed by **F&D Scene Changes** • Plancher des musiciens, arrière-scène et rideau de fond réalisés par / Musicians' floor, backstage and backdrop made by **Scène Éthique** • Peinture scénique par / Set painting by **Cadmium Scénique** **ATELIER D'ACCESSOIRES / PROPS WORKSHOP** Nos remerciements les plus sincères à nos chargés de projet, accessoiristes et acheteurs ainsi qu'à tout le personnel administratif / Our most sincere thanks to our Project Managers, Props Persons, Buyers, and all administrative staff ***TAPIS ROUGE*** Merci à toute l'équipe de création et de production / Thanks to the creation and production team **STUDIO** Merci à tout le personnel du Siège social international pour leur travail assidu et leur dévouement. Nous tenons à remercier tout spécialement les équipes du Casting, du Studio de création et du Service de la création / Thanks to all the employees at International Headquarters for their hard work and dedication. Special thanks go to the staff of the Casting and Creation Studio departments and the Creation Service.

PERSONNEL DE TOURNÉE / TOUR STAFF, BUREAU DU DIRECTEUR DE TOURNÉE / TOUR MANAGER'S OFFICE Directeur de tournée / Tour Manager MICHAEL FAULS Adjointe au directeur de tournée / Assistant to the Tour Manager SUZANNE DESJARDINS Attachée de presse / Publicist CHANTAL BLANCHARD Superviseur de la sécurité / Security Supervisor DREW DEBOCK **DIRECTION DES SERVICES DE TOURNÉE / TOUR SERVICES DEPARTMENT** Directeur des services de tournée / Tour Services Director STÉPHANE JODOIN Assistante du directeur des services de tournée / Assistant to the Tour Services Director MARIE-HÉLÈNE LOWE Conseiller en ressources humaines / Human Resources Advisor DOMINIQUE BIGRAS Coordonnatrice du transport et de l'hébergement / Transportation and Lodging Coordinator MÉLANIE LAMARRE Chef comptable / Chief Accountant JOSÉE ROBERT Comptable principale / Senior Accountant PATRICIA SVENSEN Technicienne en comptabilité / Accounting Technician MARTINE COURNOYER Analyste de l'infrastructure et des télécommunications / Infrastructure and Telecommunication Analyst FRANÇOIS FAUCHER Chef de la cuisine / Kitchen Manager ISABELLE TURCOT Cuisiniers / Cooks SARAH CHARLTON, FRANÇOIS CORMIER, ERIKA ESPINOSA, LEE JOHNSON, KRUSHESKA QUIROS Professeurs / Teachers PAUL CHAMPAIGN, CHRISTINE CHANDONNET **DIRECTION DES SERVICES AU PUBLIC / PUBLIC SERVICES DEPARTMENT** Directeur des services au public / Public Services Director MATTHEW NICKEL Coordonnatrice des services au public / Public Services Coordinator BRIDGET GIVAN Chef de la billetterie et de la salle / Box Office & House Manager MARISA SHAYNA GARCIA Superviseures de la billetterie / Box Office Supervisors VALÉRIE GIGUÈRE, ALYSON LING, APRIL SHANN Chefs placeurs / Head Ushers KAWANA ANTHONY, GABRIEL GARCIA Chef de la restauration / Food & Beverage Manager JEAN-PHILIPPE TONDREAU Superviseurs de la restauration / Food & Beverage Supervisors ANNIE BÉLANGER, MAURIZIO CATTAROSSI Chef du merchandising / Merchandising Manager ANNIE HÉBERT Superviseurs du merchandising / Merchandising Supervisors ADRIAN CEBALLOS, DAVID OLIVIER Chef des services d'hospitalité / Hospitality Services Manager BENOIT PIGEON Superviseur des services d'hospitalité / Hospitality Services Supervisor STÉPHANE ÉMOND **DIRECTION DES OPÉRATIONS DE SITE / SITE OPERATIONS DEPARTMENT** Directrice des opérations de site / Site Operations Director JACQUELINE DETTWILER Assistant de la directrice des opérations de site / Assistant to the Site Operations Director JOCELYN ROCHETTE Électricien principal – CVC / Senior Electrician – HVAC JULIEN GUIDON Technicien des opérations de site – mécanicien / Site Operations Technician – Mechanic ERIC CASTONGUAY Technicien des opérations de site – plombier & soudeur / Site Operations Technician – Plumber & Welder PERRY SVENSEN Technicien des opérations de site – menuisier / Site Operations Technician – Carpenter FRÉDÉRICK DOYON Chef de l'exploitation des tentes / Head of Tent Operations MARTIN RATELLE Technicien de tente / Tent Technician CHRISTIAN BEAULNE Acheteur / Buyer DANIEL CÔTÉ **DIRECTION TECHNIQUE / TECHNICAL DEPARTMENT** Directeur technique / Technical Director KEVIN KIELY Chef machiniste / Head Carpenter JOSEPH FRITSCH Coordonnateur de l'entretien scénique / Set Maintenance Coordinator BRIAN PETRE Techniciens de cirque / Swing Technicians FRÉDÉRICK DUJARDIN, IAN McADIE, JUSTIN McQUEEDE Coordonnateur de l'entretien électronique / Electronic Maintenance Coordinator DOMINIC CAPPARELLI Chef gréeur / Head Rigger ARTHUR TURNER Assistant du chef gréeur / Assistant Head Rigger CRAIG REID Gréeurs / Riggers CHARLES ABERNATHY III, DARIN CORLETT Chef éclairagiste / Head of Lighting ÉRIC LANDRY Éclairagistes / Lighting Technicians ALEXANDRE COUSINEAU, CHRISTIAN LAFLAMME, SPENCER TREMBLAY Chef sonorisateur / Head of Sound DOMINIC DORION Sonorisateurs / Sound Technicians MARTIN PARÉ, DANY RACINE Chef des accessoires / Head of Props ZOE KIELY Accessoiriste / Props Technician CHARLOTTE GRANT Chef de l'automatisation / Head of Automation MARC ZUCKERMAN Technicien de cirque – projectionniste / Swing Technician – projectionist JEAN-FRANÇOIS BERTRAND **DIRECTION ARTISTIQUE / ARTISTIC DEPARTMENT** Coordonnateur artistique / Artistic Coordinator MARC-ANTHONY THOMAS Régisseure générale / General Stage Manager VERA ZUYDERHOFF Régisseur de plateau / Backstage Manager JONATHON BOWKER Chef physiothérapeute / Senior Physiotherapist TRACY GUY Thérapeute athlétique / Athletic Therapist SARO KERESTECIYAN Chef costumier / Head of Wardrobe SCOTT HARRINGTON Assistantes aux costumes / Wardrobe Assistants GENEVIÈVE MARANDA, STACY TEAGUE Entraîneure chef, troupe maison / House Troupe, Head Coach JOHANNE GÉLINAS Entraîneurs personnels / Personal Coaches GIUSEPPE BELLO, PEDRO PADEIRO SANTOS **PERSONNEL DE LA CPAA / CPAA STAFF** Professeure-interprète / Teacher-Interpreter YAN YE Entraîneur / Coach PENGDA SONG **PRODUCTION DU PROGRAMME SOUVENIR / SOUVENIR PROGRAM PRODUCTION** Éditeur / Publisher CIRQUE DU SOLEIL INC. Photographe / Photographer VÉRONIQUE VIAL Direction artistique / Art Direction PIERRE DESMARAIS Photographies additionnelles / Additional Photographs JEAN-FRANÇOIS GRATTON, PIERRE MANNING, ÉRIC PICHÉ Conception graphique / Graphic Design MICHEL DALPÉ, SYLVAIN GRAND'MAISON, EMMANUELLE SIRARD Infographie / Graphics MICHEL DALPÉ, GABRIELLE HARVEY, SYLVAIN LECOMPTE, EMMANUELLE SIRARD Supervision – Typographie / Typography Supervision LOUISE L'HEUREUX Traduction et révision / Translation and Revision ERIC CHENOIX, KERRY KNAPP, ANDREA ZANIN Supervision de production / Production Supervision BRIGITTE MEZZETTA Supervision du prépresse / Pre-Press Supervision SYLVAIN LECOMPTE Coordination de la production imprimée / Print Production Coordination JULIE GUIMOND Prépresse / Pre-press DATACHROME INC. Impression / Printing DATACHROME INC.

Pour plus d'information, visitez notre site Web / For more information, check out our website: cirquedusoleil.com

Var.09.05

UN VOYAGE FANTASTIQUE
A FANTASTIC JOURNEY

LE FORMIDABLE SUCCÈS INTERNATIONAL DU *CIRQUE DU SOLEIL*
EST AVANT TOUT L'HISTOIRE DU LIEN REMARQUABLE QUI
UNIT LES ARTISTES ET LES SPECTATEURS DU MONDE ENTIER
CAR, LORSQUE LE SPECTACLE EST TERMINÉ, CE SONT LES
SPECTATEURS QUI FONT REVIVRE LES PASSIONS CRÉATRICES
DU *CIRQUE DU SOLEIL*.
THE INTERNATIONAL SUCCESS STORY KNOWN AS *CIRQUE DU
SOLEIL* IS ABOVE ALL THE STORY OF A REMARKABLE BOND
BETWEEN PERFORMERS AND SPECTATORS THE WORLD OVER.
FOR AT THE END OF THE DAY, IT IS THE SPECTATORS WHO SPARK
THE CREATIVE PASSIONS OF *CIRQUE DU SOLEIL*.

1984

Création officielle du *Cirque du Soleil*. Le premier spectacle est
présenté à Gaspé, au Québec, puis dans 10 autres villes de la
province. En 1984, le premier Grand Chapiteau bleu et jaune peut
accueillir 800 personnes.
**Cirque du Soleil is officially founded. The debut show is presented
in Gaspé, Quebec and then in 10 other cities across the
province. In 1984, the first blue-and-yellow Big Top seats 800.**

1985-1986

Le *Cirque du Soleil* visite l'Ontario, puis poursuit sa tournée
canadienne à Vancouver. Sur la scène internationale, certains
numéros sont récompensés par les plus grands prix lors de diffé-
rents concours et festivals. Le Grand Chapiteau peut accueillir
1 500 spectateurs.
**Cirque du Soleil visits Ontario and continues its Canadian tour
in Vancouver. On the international stage, a number of acts are
awarded top honours at competitions and festivals. The Big Top
now seats 1,500 spectators.**

1987

Première visite aux États-Unis avec *Le Cirque réinventé*, présenté
au Festival de Los Angeles. Ce spectacle se déplace également
à San Diego et à Santa Monica.
**First visit to the United States with We Reinvent the Circus
presented at the Los Angeles Festival. Cirque du Soleil also
takes the show to San Diego and Santa Monica.**

1988-1989

Le *Cirque réinventé* poursuit son périple à New York, à San
Francisco, à Santa Monica (pour la deuxième fois), à Miami,
à Chicago et à Phoenix.
**We Reinvent the Circus continues its journey to New York, San
Francisco, Santa Monica (for a second time), Miami, Chicago
and Phoenix.**

1990

Première mondiale de *Nouvelle Expérience*. Après une tournée de
19 mois dans 13 villes du Canada et des États-Unis, ce spectacle
aura été présenté devant 1,3 million de spectateurs ! Le *Cirque
du Soleil* se rend pour la première fois en Europe et met en scène
son spectacle *Le Cirque réinventé* à Londres et à Paris. Le Grand
Chapiteau peut maintenant accueillir 2 500 spectateurs.
**World premiere of Nouvelle Expérience. By the end of an exten-
sive 19-month, 13-city tour of Canada and the United States,
1.3 million spectators will have seen the show. Cirque du Soleil
makes its first foray into Europe, staging We Reinvent the Circus
in London and Paris. The Big Top now seats 2,500 spectators.**

1984   1985   1987   1988-1989   1990

Le *Cirque du Soleil* établit sa réputation au pays du Soleil-Levant en y présentant *Fascination*, un montage des meilleurs numéros de ses spectacles précédents. *Fascination* visite huit villes du Japon et y effectue 118 représentations en quatre mois. En Europe, le *Cirque du Soleil* et Cirque Knie unissent leurs efforts et séjournent dans plus de 60 villes en Suisse. En Amérique du Nord, *Nouvelle Expérience* décroche un contrat pour une année entière sous un Grand Chapiteau au Mirage de Las Vegas. Le *Cirque du Soleil* ajoute un spectacle à son répertoire – *Saltimbanco* – qui deviendra un véritable monument.

Cirque du Soleil makes a name for itself in the Land of the Rising Sun with *Fascination*, a collage of the best acts from previous shows. *Fascination* visits eight cities in Japan and is presented 118 times over a four-month period. In Europe, **Cirque du Soleil** joins forces with Circus Knie and visits over 60 cities in Switzerland. In North America, *Nouvelle Expérience* kicks off a year-long engagement under a Big Top at the Mirage in Las Vegas. **Cirque du Soleil** adds a monument to its repertoire of shows: *Saltimbanco*.

1994

Le *Cirque du Soleil* emménage dans une salle de spectacles située au pied du nouveau complexe hôtelier Treasure Island à Las Vegas, et signe un contrat de 10 ans avec Mirage Resorts, Inc. pour la présentation de *Mystère*. *Saltimbanco* boucle le 19e mois de sa tournée dans une douzaine de villes en Amérique du Nord, où le spectacle aura été ovationné par 1,4 million de spectateurs. Il met ensuite le cap sur Tokyo pour une tournée de six mois. Le *Cirque du Soleil* fête son 10e anniversaire en lançant une nouvelle production : *Alegría*.

Cirque du Soleil moves into a theatre in Las Vegas at the foot of the new Treasure Island resort and signs a 10-year contract with Mirage Resorts, Inc. to stage *Mystère*. *Saltimbanco* completes its 19-month North American tour of a dozen cities, receiving resounding ovations from 1.4 million spectators, and sets sail for a six-month run in Tokyo. **Cirque du Soleil** celebrates its 10th anniversary with yet another production: *Alegría*.

Tandis qu'*Alegría* poursuit une tournée triomphale en Amérique du Nord, *Saltimbanco* part à la conquête de l'Europe. Le spectaculaire Grand Chapiteau blanc du *Cirque du Soleil*, qui peut accueillir 2 500 personnes, fait une première halte à Amsterdam. Ensuite, *Saltimbanco* se rend à Munich, Berlin, Düsseldorf, Vienne, Londres, Hambourg, Stuttgart, Anvers, Zurich et Francfort. Le *Cirque du Soleil* établit son Siège social européen à Amsterdam.

While *Alegría* pursues its triumphant North American tour, *Saltimbanco* sets out to conquer Europe. **Cirque du Soleil**'s spectacular white Big Top, with seating for 2,500 spectators, makes its first stop in Amsterdam. *Saltimbanco* visits Munich, Berlin, Düsseldorf, Vienna, London, Hamburg, Stuttgart, Antwerp, Zurich and Frankfurt. Amsterdam becomes the site of *Cirque du Soleil*'s European Headquarters.

1996

Le *Cirque du Soleil* lance *Quidam* à Montréal. Le spectacle entame une tournée de trois ans en Amérique du Nord. Denver, Houston et Dallas sont ajoutées au plan de tournée, qui atteint 1 000 représentations. *Quidam* a été applaudi par 2,5 millions de spectateurs ! L'année 1996 est également celle de l'inauguration du tout nouveau Siège social international à Montréal, le Studio, où seront conçus tous les spectacles du *Cirque du Soleil*.

Cirque du Soleil launches *Quidam* in Montreal. The show begins a three-year North American tour. Denver, Houston and Dallas are added to the tour plan, and by the end of the 1,000-performance run, over 2.5 million spectators will have applauded *Quidam*. This year also sees the inauguration of the brand-new International Headquarters in Montreal, the Studio, where all *Cirque du Soleil* shows will be created.

1992   1994   1995

1997

Le 1er février, après une tournée de cinq ans, le rideau tombe sur *Saltimbanco* au Royal Albert Hall de Londres. À peine revenu d'une tournée en Asie, *Alegría* amorce une tournée européenne. Le *Cirque du Soleil* s'associe à *Pomp Duck and Circumstance*, un spectacle de dîner-théâtre original.

On February 1, after five years of touring, the curtain falls on *Saltimbanco* at London's Royal Albert Hall. Fresh from an Asian tour, *Alegría* undertakes a tour of Europe. *Cirque du Soleil* joins forces with *Pomp Duck and Circumstance*, an original dinner-theatre show.

1998

Un deuxième spectacle fixe, «O», qui est aussi le premier spectacle aquatique du *Cirque du Soleil*, est présenté sur la scène de la nouvelle salle de spectacles du Bellagio à Las Vegas. *Saltimbanco* est remis en scène et entame une tournée de trois ans dans la région Asie-Pacifique. De plus, le *Cirque du Soleil* lance un troisième spectacle fixe, *La Nouba*, présenté au *Walt Disney World*® Resort, près d'Orlando en Floride. Singapour accueille le Siège social Asie-Pacifique du *Cirque du Soleil*.

A second permanent production, "O", *Cirque du Soleil*'s first aquatic show, takes to the stage of a new theatre at Bellagio in Las Vegas. *Saltimbanco* is restaged and kicks off a three-year tour of Asia and the Pacific. *Cirque du Soleil* launches a third resident show, *La Nouba*, at *Walt Disney World*® Resort near Orlando, Florida. Singapore becomes the site of *Cirque du Soleil*'s Asia-Pacific Headquarters.

1999

La Nouba continue d'être couronné de succès à Orlando, alors qu'au même moment l'équipe de conception de Montréal termine les préparatifs du spectacle *Dralion*, dont la tournée en Amérique du Nord se déroulera jusqu'au prochain millénaire. *Alegría* s'installe à Beau Rivage, un nouveau complexe hôtelier de Biloxi au Mississippi. *Quidam* part en tournée européenne alors que *Saltimbanco* continue sa tournée dans la région Asie-Pacifique.

While *La Nouba* enjoys continuing success in Orlando, Montreal's creative team puts the finishing touches on a brand-new show, *Dralion*, which will tour North America into the next millennium. *Alegría* finds a home at Beau Rivage, a new resort in Biloxi, Mississippi. *Quidam* embarks on its European journey, and *Saltimbanco* tours the Asia-Pacific region.

2000

Sur trois continents, des millions de spectateurs s'extasient devant les sept spectacles fixes ou de tournée du *Cirque du Soleil*. *Alegría* quitte sa demeure du Mississippi pour une tournée dans la région Asie-Pacifique, et *Saltimbanco* amorce une tournée d'un an au Japon. En outre, les cinéphiles découvrent avec enchantement la toute première production en format IMAX présentée par le *Cirque du Soleil*, intitulée *Passages*.

Audiences on three continents continue to marvel at *Cirque du Soleil*'s seven resident and touring shows. *Alegría* leaves its Mississippi home to embark on a tour of the Asia-Pacific region and *Saltimbanco* begins a year-long tour of Japan. Also, movie fans are thrilled by *Cirque du Soleil*'s first-ever large-format IMAX production, entitled *Journey of Man*.

2001

La croissance effrénée des activités du *Cirque du Soleil* a rendu l'espace insuffisant au Siège social international. En janvier, des employés emménagent dans un bâtiment neuf de 14 000 mètres carrés (46 000 pieds carrés). L'équipe de concepteurs du *Cirque du Soleil* prépare un nouveau spectacle de tournée dont la première aura lieu à Montréal au printemps 2002. À l'automne 2001, le *Cirque du Soleil* lance la version renouvelée de son site Web, cirquedusoleil.com. Le 4 novembre, le spécial télévisé *Cirque du Soleil™ Presents Dralion™* remporte trois prix lors du gala des Primetime EMMY® Awards.

The meteoric growth of *Cirque du Soleil*'s activities has created an urgent need for more space at the International Headquarters. In January, *Cirque du Soleil* employees move into the new 14,000-square-metre (46,000-square-foot) expansion. The *Cirque du Soleil* creative team begins work on a brand-new touring show to premiere in Montreal in the spring of 2002. In the fall of 2001, *Cirque du Soleil* launches its revamped website, cirquedusoleil.com. On November 4, the television special *Cirque du Soleil™ Presents Dralion™* is honoured with three Primetime EMMY® Awards.

2003

Présenté par *UNE AUTRE FACETTE DE CIRQUE DU SOLEIL, ZUMANITY™*, un spectacle sexy et provocant, est dévoilé au New York-New York Hotel & Casino® de Las Vegas en août 2003. Au même moment, le travail de création commence pour un cinquième spectacle fixe qui prendra l'affiche en 2004 au MGM Grand, également à Las Vegas. *Quidam* continue de séduire le public partout dans le monde en poursuivant sa tournée au Japon, alors que *Dralion* suit les traces d'*Alegría* en faisant un arrêt à Mexico.

Cirque du Soleil's creators and artists focus their energies on the creation of a brand-new resident show from *ANOTHER SIDE OF CIRQUE DU SOLEIL: ZUMANITY*. This sexy, provocative production premieres at the New York-New York Hotel & Casino® in Las Vegas in August 2003. At the same time, creative work begins on a fifth resident show to open in 2004 at the MGM Grand, also in Las Vegas. *Quidam* continues to seduce audiences worldwide with a year-long tour of Japan. *Dralion* follows in the footsteps of *Alegría*, now touring North America, with an engagement in Mexico City.

2001   2002   2003   2004

2002

En 2002, le *Cirque du Soleil* lance *Varekai*, son nouveau spectacle de tournée. Cette production entame sa tournée nord-américaine à Montréal et est accueillie très chaleureusement par la critique. De plus, pour la première fois de son histoire, le *Cirque du Soleil* présente un spectacle en Amérique latine. *Alegría*, qui a charmé les spectateurs du monde entier, amorce une série de représentations de trois mois dans la ville de Mexico. Enfin, à la 74e soirée des Academy Awards®, le *Cirque du Soleil* renverse le public hollywoodien en présentant un numéro de quatre minutes mettant en vedette des artistes provenant de quatre de ses spectacles.

In 2002 *Cirque du Soleil* introduces *Varekai*, its latest touring production. The show launches its North American tour in Montreal and garners outstanding reviews. For the first time ever, *Cirque du Soleil* performs in Latin America. *Alegría*, a show which has enchanted audiences on four continents, begins a three-month engagement in Mexico City. At the 74th Academy Awards®, *Cirque du Soleil* brings the Hollywood audience to its feet with a four-minute performance featuring artists from four of its shows.

2004

Toute l'année, le Cirque fête son 20e anniversaire avec éclat. Un nouveau spectacle, KÀ, prend l'affiche à Las Vegas et épate tant les spectateurs que la critique grâce à sa scénographie novatrice et ses prestations acrobatiques qui défient les lois de la gravité. *Cirque du Soleil Musique*, étiquette de disques qui promeut la musique du Cirque et de la relève, est lancée à Montréal, à Toronto et à New York. Les spectacles de tournée continuent leurs périples : *Alegría* retourne au Japon, *Quidam* visite l'Australie et la Nouvelle-Zélande pour la première fois, *Dralion* et *Saltimbanco* arpentent l'Europe et *Varekai* continue d'éblouir les foules d'Amérique du Nord. Pendant ce temps, l'équipe de création et un groupe d'artistes préparent à Montréal un nouveau spectacle qui verra le jour en 2005. Et la magie continue…

All year long, Cirque celebrates its 20th anniversary with great fanfare. A new show, KÀ, debuts in Las Vegas and astounds audiences and critics alike with its innovative set and gravity-defying acrobatics. *Cirque du Soleil Musique*, a record label which will promote *Cirque du Soleil*'s music as well as up-and-coming artists, is launched in Montreal, Toronto and New York. The touring shows continue their tireless travels—*Alegría* returns to Japan, *Quidam* is introduced to audiences in Australia and New Zealand, *Dralion* and *Saltimbanco* tour Europe and *Varekai* continues to amaze audiences in North America. All the while, the creative team and performers in Montreal begin the creation of a new touring show for 2005. And the magic continues …

Bon voyage!

Comme le font toutes les productions extraordinaires et audacieuses du *Cirque du Soleil*, *Varekai* fait se dérouler sous vos yeux un monde de magie, de rêve et de talents exceptionnels.

Je ne peux que lever mon chapeau à la créativité sans cesse renouvelée, à la passion et à l'énergie d'une troupe d'artistes et d'une équipe au sommet de leur art.

Comme premier ministre du Québec, je suis fier de m'associer au *Cirque du Soleil* pour vous souhaiter une soirée inoubliable.

Jean Charest
Premier ministre du Québec
Prime Minister of Québec

As do all of Cirque du Soleil's *extraordinary and daring productions*, Varekai *unveils a world of magic, dreams and exceptional talents.*

Hats off to the endless creativity, passion and energy of this troupe of artists, a team at the pinnacle of their art.

As Premier of Quebec, I am proud to join Cirque du Soleil *in wishing you an unforgettable evening.*

Je suis heureux d'adresser mes cordiales salutations à tous ceux et celles qui assistent au spectacle *Varekai* du *Cirque du Soleil*.

Mariant avec un brio extraordinaire le cirque conventionnel au théâtre, à la danse et aux acrobaties, les concepteurs de cette production du *Cirque du Soleil* offrent à nouveau des numéros palpitants et envoûtants.

Vous serez littéralement éblouis par les forêts magiques et les êtres mystiques d'un nouveau monde – le monde de *Varekai* – que vous fera découvrir un homme vivant une incroyable aventure.

À toutes et à tous, un très agréable voyage.

Paul Martin
Premier ministre du Canada
Prime Minister of Canada

I am delighted to extend my warmest greetings to everyone attending Cirque du Soleil's *Varekai.*

Combining circus tradition with a unique blend of theatre, dance, acrobatics and sheer talent, Cirque du Soleil's *production, Varekai, will deliver, as always, an exciting and spellbinding performance.*

Prepare to be dazzled by magical forests and mystical beings as you join one man on an incredible adventure and enter a new world – the world of Varekai.

I would like to wish you all a most enjoyable journey.

The journey never ends...

With five resident shows, three touring shows playing across North America, two being presented in the Asia-Pacific and one performing throughout Europe this year alone, there's plenty more *Cirque du Soleil* to discover.

For show info, tour schedules and tickets, go to
cirquedusoleil.com

CIRQUE DU SOLEIL®

casting

another great move!

- CLOWNS • ACROBATICS • PHYSICAL ACTING
- SINGING • DANCE • MUSIC • CIRCUS ARTS
- MARTIAL ARTS • EXTREME SPORTS
- URBAN ACROBATIC DISCIPLINES
(B-BOY/HIP-HOP, URBAN MOVEMENT,
ACROBATIC DANCERS, ETC.)

CIRQUE DU SOLEIL®

casting.cirquedusoleil.com

Your signature wish.

Our signature card.

VISA SIGNATURE

4000 1234 5678 9010
4000   VISA SIGNATURE
CUSTOMER SINCE 2003   GOOD THRU 12/06 V
L. SCOTT

VISA

Visa Signature. The premium card that's so much more than just a rewards card. In addition to a choice of numerous airline, hotel and other premium reward partners, the Visa Signature card gives you:

Visa Signature Concierge, so you have access to a complimentary 24/7 concierge service to personally assist you with travel arrangements, reservations, even hard-to-find items from other countries.

Visa Signature Dining, that gets you specially reserved tables at practically impossible-to-get-into restaurants; plus valuable discounts and special offers.

Visa Signature Privileges, that get you discounts up to 50% and access to upgraded rooms at Le Méridien Hotels & Resorts with luxurious accommodations in spectacular locations.

Visa Signature Access, which provides you early and exclusive access to exciting events and once-in-a-lifetime experiences.

And, since the Visa Signature card has no pre-set spending limit* and is accepted at millions more places worldwide than American Express, it gives you even more opportunities to make all your signature wishes come true.

Visa Signature.
Rewards are just the beginning...

To apply, visit visa.com/signature

TODAY'S SHOW
IS JUST THE BEGINNING

BECOME A CIRQUE CLUB MEMBER

Gain privileged access to:

- Priority booking for our touring shows
- Scoops and behind-the-scenes news
- Specially designed virtual cards
  ... and much more!

IT'S EASY AND IT'S FREE!

cirquedusoleil.com

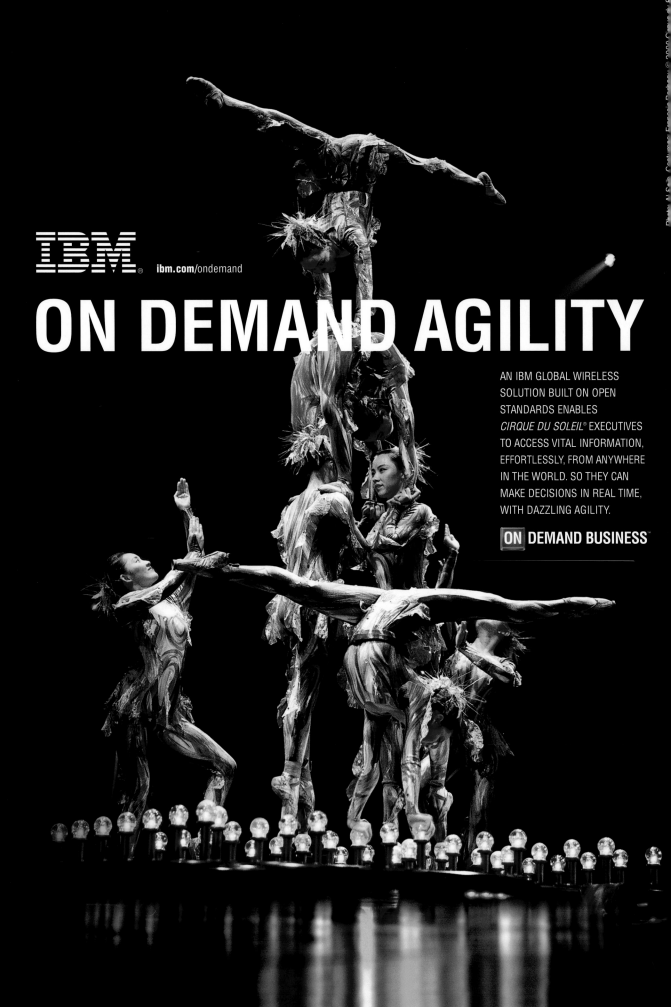

IBM® ibm.com/ondemand

ON DEMAND AGILITY

AN IBM GLOBAL WIRELESS
SOLUTION BUILT ON OPEN
STANDARDS ENABLES
CIRQUE DU SOLEIL® EXECUTIVES
TO ACCESS VITAL INFORMATION,
EFFORTLESSLY, FROM ANYWHERE
IN THE WORLD. SO THEY CAN
MAKE DECISIONS IN REAL TIME,
WITH DAZZLING AGILITY.

ON DEMAND BUSINESS™

Cirque du Soleil & OXFAM

WORKING TOGETHER WITH YOUTH AT RISK FOR A BETTER WORLD

Your donation to Oxfam will be used to improve the lives of disadvantaged youth in the United States and Africa.

Our thanks

Call free of charge 1 800 77-OXFAM
Website: http://www.oxfamamerica.org
E-mail: info@oxfamamerica.org

CIRQUE DU SOLEIL.

Oxfam America

Focus is the mark of an experienced performer.

 **AMERICAN®**
ELECTRIC
POWER

At AEP, we understand the importance of a focused approach. We've become one of the United States' largest power generators by concentrating on what we do best—effectively managing our core utility businesses. As we focus on the future, count on our tradition of reliable service to continue.

Learn more at AEP.com.

AEP is a proud sponsor of the **Cirque du Soleil**® 2005 North American Tours.
© 2005 American Electric Power Co., Inc.
NYSE: AEP

ĒCOLENATIONALEDECIRQUE.CA

L'École nationale de cirque de Montréal offre une formation
professionnelle multidisciplinaire en arts du cirque.

*The National Circus School in Montreal offers a professional
program in circus arts with a multidisciplinary focus.*

ÉCOLE NATIONALE DE CIRQUE | 8181, 2e Avenue, Montreal (Québec) Canada H1Z 4N9
☎ (514) 982-0859 | 1-800-267-0859 (Canada) | info@enc.qc.ca | www.nationalcircusschool.ca

Culture
et Communications
Québec 🇫🇷🇫🇷

Éducation
Québec 🇫🇷🇫🇷

🇨🇦 Patrimoine   Canadian
canadien   Heritage

PORSCHE

You'll be on the edge of your seat long after the show.

Imagine this happy possibility: watching the show with the keys to a Cayenne waiting in your pocket. Where the wonders of the performance end, the wonders of the drive home begin.

Sponsor of *Cirque du Soleil*® 2005 U.S. Tours.
An acceleration of wonder.

PORSCHE